当当网终身五星级童书

★ ★ ★ ★ ★

我遇到了埃及法老

据 [法] 克利斯提昂·约里波瓦同名绘本动画片改编

郑迪蔚 / 编译

21 二十一世纪出版社
21st Century Publishing House
全国百佳出版社

下蛋，下蛋，总是下蛋！

生活中肯定有比下蛋更好玩的事情！

我要破解埃及法老的咒语……

初春的早晨，明媚的阳光懒洋洋地洒在草地上，春风轻轻地拂过抽芽的柳枝，花儿贪婪地吸吮着露珠，这是个万物复苏的季节。

小胖墩在鸡舍里憋了一个冬天，觉得无聊极了，他偷偷地溜出来，独自跑到山坡下的小河边玩耍。小胖墩深深地吸了口新鲜的空气，顿觉神清气爽，开心地在草地上捉起虫子来。

"哇，太棒了，和我一样肥的大虫。"小胖墩快乐地吹起口哨。

忽然，从河里发出的一束光闪到了小胖墩的眼睛，他扔下虫子趴在河边探个究竟。清澈的河底有一个小物件发出幽幽的绿光。

小胖墩立刻从水中捞起这个小物件，仔细一看。

"这就是传说中的圣甲虫！"他小心地把它捧在手里，"卡梅利多他们一定会嫉妒死的，哈哈。"

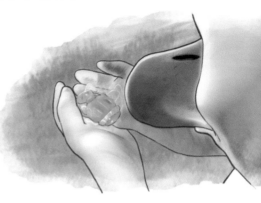

哇！

"宝贝，我的宝贝。"小胖墩不由自主地被圣甲虫发出的绿光吸引住了……

"只属于我一个人的宝贝，谁也别想看见！"

回到家后，小胖墩一反常态，趴在窝里不愿出去。他时不时地拿出圣甲虫看。

第二天一早，皮迪克打鸣之后，小鸡们都跑出鸡舍玩耍。

大嗓门出门前看到小胖墩还趴在窝里不肯起床。

"你怎么还在窝里？你要学母鸡孵蛋吗？"大嗓门嘲笑他。

"别烦我，啰唆鬼！"小胖墩不耐烦地背对着大嗓门喊。

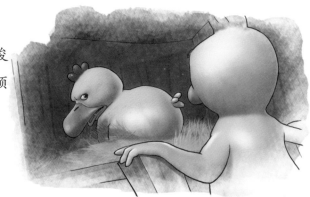

卡梅利多踢着足球像往常一样进行热身活动，准备和老对手们一决高下。

"怎么少一个？小胖墩呢？"卡梅利多问。

大嗓门把小胖墩坚决不出窝的举动告诉了大家。

"不会吧！小胖墩居然放弃踢球去孵鸡蛋！"小刺头以为大嗓门在开玩笑。

"我猜他就是不想输球，才不敢出来。"卡梅利多肯定地说。

卡门对哥哥的判断非常赞同。

大嗓门摇头叹气："照此发展下去，没准他真的会孵出蛋来。"

忽然，贝里奥神情慌张地跑过来："出事啦，快去看看吧，饮水槽里没水了！我们会渴死吗？"

天哪！

"你说什么呢？昨天还满满一池子水呢。"卡梅利多不相信，跑过去一看，饮水槽真的干枯了。

这时，小刺头沮丧地捧着一大把虫子："我的虫子都干死了。我攒了三个月的存粮全报销了。"说完号啕大哭。

"现在不是旱季呀。"卡门不明白为什么会出现这样的反常现象。

11

小胖墩独自卧在窝里睡觉，手中紧紧地攥着圣甲虫。

"是谁？"小胖墩被一束刺眼的绿光惊醒了。

只见空中飘浮着一位怒目而视的埃及法老。

"我是在做梦吗？你是谁？"小胖墩惶恐地问。

"还给我！小偷！你拿了我的东西！"法老指着小胖墩。

"这是我的，少烦我！我没拿你什么东西！"小胖墩一口气逃到鸡舍外，大喊大叫，好像有什么人在后面追他。

贝里奥看着小胖墩滑稽的样子，心想：小胖墩怎么啦？疯疯癫癫的。先是孵鸡蛋，现在又跳大绳？

13

"天哪，小胖墩疯了！他一定是鬼上身了。"贝里奥惊呼。

"你还好吗，小胖墩？"卡梅利多看到躲在屋下的小胖墩问。

小胖墩对朋友的询问根本不予理睬，一溜烟跑回鸡舍里。

小胖墩怎么躲都摆脱不了无形人的追逐。

"这是我的，放开！放开！"小胖墩急得大喊。

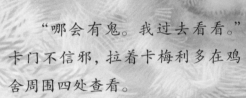

"哪会有鬼。我过去看看。"
卡门不信邪，拉着卡梅利多在鸡
舍周围四处查看。

半夜，大家都安静地进入了梦乡，只有小胖墩在窝里不停地翻滚，说着梦话："太阳神丢了，丢了……"

忽然，小胖墩被绿色的强光惊醒了，又是那个埃及法老飘浮在他的面前。

"我是图坦卡蒙，埃及法老。你拿了我的宝贝！还给我！"法老再次向小胖墩伸出手。

小胖墩仍旧紧握住双手："我，什么也没拿！"

法老的眼睛中射出一束白光，正好照在他的手上。随即法老飘浮到屋顶上，语气严厉地说："我会诅咒你！"

小胖墩吓得在窝里发抖。

这时，卡门走过来轻轻拍拍他："安静，小胖墩，是我，卡门，你做噩梦了，还是看到什么东西了？"

"啊，没事，什么事也没有！"小胖墩生怕秘密被卡门发现，转身继续睡觉。

第二天，小胖墩因为被折腾了一晚，实在太困了，可他又不敢独自待在鸡舍里，就卧在鸬鹚佩罗的木桶旁睡觉。

"嗨，胖母鸡！蛋孵出来了吗？哈哈！"大嗓门在一旁嘲笑，"咕咕咕，小胖墩在孵鸡蛋。"

哈哈！

小胖墩懒得搭理小刺头，扭头说："哼，一边待着去，少烦我！"

"你会不会最后孵出只鸵鸟来？哈哈！"小刺头跑到别的地方玩去了。

小胖墩左顾右盼，见周围没人，于是打开手掌，欣赏从河里捞起的宝贝。

小胖墩的举动被藏在大门后的卡门看到了。

"天哪！原来是这个秘密让小胖墩失去理智。"

"我的小胖子，晒太阳呢？"公鸡爷爷慈爱地问。

"让我安静会儿！"小胖墩不耐烦地回答。

鸬鹚佩罗好奇地朝小胖墩走过来："你怎么老绷着个脸呢？手里拿着的是什么？"

21

"不要靠近我！"小胖墩厉声警告大家。

"小胖墩，这就是你的不对了，礼尚往来嘛。你在我窝里晒太阳，还不让我看看宝贝？"

　　小胖墩不能再拒绝了，他慢慢露出手中的圣甲虫，鸬鹚佩罗立即被从指缝里透出的绿光吸引住了，他越看越着迷，眼睛也变成绿色的了。

　　"我的天，太美啦！"

忽然，鸬鹚佩罗完全变了个样子，疯狂地挥舞着翅膀，站在木桶上大声喊叫："我要飞去海边，任海风吹，转左舵，水手！"

"嘿，你疯了吗，佩罗？"

"让暴风雨再来得猛烈些吧……"

佩罗扇动着翅膀，从木桶里喷出一股狂风，把站在后面的公鸡爷爷和卡梅利多吹出去好远。

25

"到底发生什么事儿了？"公鸡爷爷莫名其妙地从地上站起来。

"是木桶闹鬼了吗，爷爷？"

鸬鹚佩罗就像一个在惊涛骇浪中指挥的船长，对着大伙大喊："升帆！收帆！"

佩罗声嘶力竭的呼喊突然中止，跌坐在木桶上。

小胖墩害怕佩罗会抢走他的宝贝，起身就要往鸡舍跑。

突然间狂风又起，席卷着树叶紧紧追随着小胖墩逃跑的方向，法老的身影再次出现在空中。

"还给我，这是最后一次警告你！"法老紧紧地跟在小胖墩的身后。

小胖墩一边跑一边回头喊："宝贝是我的，你听明白了？我找到的，我的！"

"小胖墩在和谁说话呢？"卡门奇怪地看着小胖墩。

鸬鹚佩罗重振精神，挥舞着翅膀飞到高空，喊道："暴风雨来啦，所有人都上甲板，暴风雨来啦！"

刺猬尼克和皮克紧紧地抓住石头，以免被风吹走："没说今天刮大风啊！"

"我还纳闷呢，你知道天气预报一向不准！"

30

法老更加愤怒了，他圆睁着双目施展法术，让整个鸡舍都笼罩在狂风暴雨之中。

法老觉得惩罚还不够严厉，他指了指天空，立刻乌云滚滚，电闪雷鸣，狂风夹杂着冰雹向鸡舍砸来。

鸡舍里一片混乱，鸡毛、稻草满屋飞，大家哭成一团。唯有鸬鹚佩罗还在兴奋地狂笑。"**哈哈！**"

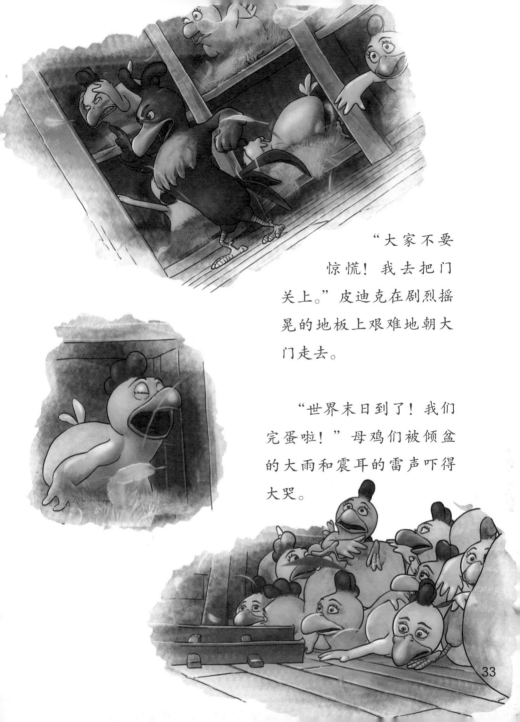

"大家不要惊慌！我去把门关上。"皮迪克在剧烈摇晃的地板上艰难地朝大门走去。

"世界末日到了！我们完蛋啦！"母鸡们被倾盆的大雨和震耳的雷声吓得大哭。

卡梅利多、卡门和贝里奥跑回鸡舍，帮着爸爸把门关上。
"见鬼，这是怎么回事？"

"爸爸，我们到底做错了什么？这就是传说中的闹鬼吗？"卡门一边帮爸爸顶住屋门，一边好奇地问。

"如果真的有鬼，那我们早就不在了，卡门。"

"我们现在该怎么办呀？"卡梅拉惊恐地望着皮迪克问。

法老继续在屋顶上施展法术，用雷劈得房屋一阵摇晃。

　　鸬鹚佩罗眼冒绿光，紧盯着趴在窝里的小胖墩嘶喊道：
"我发现了一个海盗，就是可恶的小胖墩……"

　　"我要吃了你的鸡屁股，再吃你的鸡冠。" 鸬鹚佩罗说
着就俯冲到小胖墩面前。

　　小胖墩吓得满屋子跑：

"啊！救命！"

"我要吃了你的鸡屁股，再吃你的鸡冠……"

佩罗突然飞不动了，他扭头一看，原来是卡梅利多和皮迪克正拽着他的脚。"放开我！放开！"

"安静些，佩罗。"

"我受不了了，卡门，我都招。"小胖墩的精神快要崩溃了，"都是这个圣甲虫闹的，它属于埃及法老图坦卡蒙，就是这个法老一直诅咒我，我不想要了。"

卡门一时没明白小胖墩说的话，但当她接过小胖墩递过来的圣甲虫时，眼睛也变成了绿色的。

"我们必须把它还给法老。"

突然小胖墩和卡门悬浮在空中，面前站着庄严的法老。

"谢谢你，卡门，我的圣甲虫将会重获自由，小胖墩就不应该拿它！"法老愤愤地盯着小胖墩。

"原来如此，我们遭了这么多罪都是因为他呀！"

"这事真的不全赖我，是那天我在河里捡到的……"小胖墩还想狡辩几句，被法老给打了出去，

卡门恭敬地将圣甲虫交给图坦卡蒙法老。

"但为什么你的圣甲虫会出现在我们这儿？"

"那是因为有人从我的金字塔里偷走了它，我找了很长时间，现在，你要照我的指令去做，卡门，我的灵魂离开后这里才会恢复平静……"法老对着卡门轻声耳语。

第二天一早，卡梅利多和小伙伴们跟着卡门来到河边

"回去吧，圣甲虫。"

卡门按照法老的要求将圣甲虫重新投进清澈的河水里。

只见圣甲虫在沉入河底的一瞬间，强光笼罩天空。

"啊……圣甲虫消失了！"贝里奥躲在卡梅利多身后惊

叹道。

天空出现了法老的身影。他手握圣甲虫，浑身闪着光芒。

"我的圣甲虫，你滚动第一缕阳光，你托起太阳的光辉，驱赶黑夜！"

圣甲虫重新镶嵌在法老的胸前。

"来吧，回归吧，我永恒的护身符……谢谢你，卡门！永别了！"

法老说完就消失在天空中了。

鸡舍里又恢复了平静。小鸡们在屋外玩耍，只有小胖墩乖乖地趴在稻草上，正在喂小鸡们吃虫子。

"小胖墩，你当鸡妈妈还是挺称职的，喂完小鸡后记着孵蛋。经历了这场灾难，母鸡们吓坏了，需要好好休息，都是你干的好事。"卡梅拉教训他。

"哈哈！鸡妈妈小胖墩，我们饿啦！"

走开！

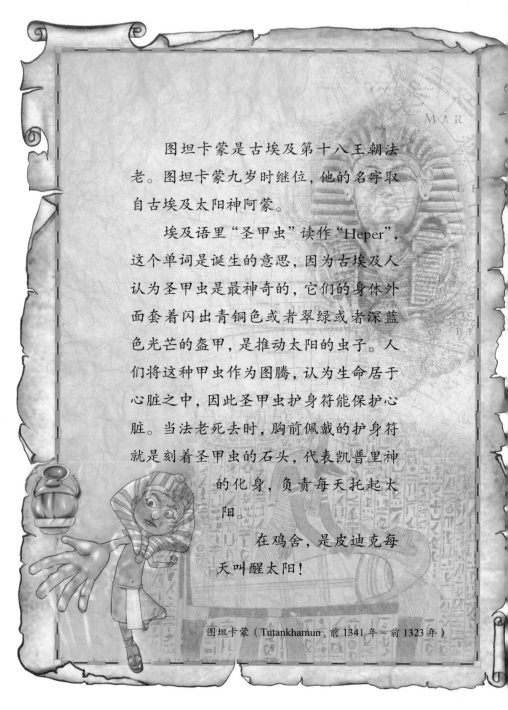

图坦卡蒙是古埃及第十八王朝法老。图坦卡蒙九岁时继位，他的名字取自古埃及太阳神阿蒙。

埃及语里"圣甲虫"读作"Heper"，这个单词是诞生的意思，因为古埃及人认为圣甲虫是最神奇的，它们的身体外面套着闪出青铜色或者翠绿或者深蓝色光芒的盔甲，是推动太阳的虫子。人们将这种甲虫作为图腾，认为生命居于心脏之中，因此圣甲虫护身符能保护心脏。当法老死去时，胸前佩戴的护身符就是刻着圣甲虫的石头，代表凯普里神的化身，负责每天托起太阳。

在鸡舍，是皮迪克每天叫醒太阳！

图坦卡蒙（Tutankhamun，前 1341 年~前 1323 年）

D'après la collection de livres de Ch. Heinrich et Ch. Jolibois © Pocket Jeunesse. D'après la série animée réalisée par JL François – bible littéraire M. Locatelli & P. Regnard © Blue Spirit Animation / Be Films Titre de l'épisode « Poulailler fantôme » écrit par M. Locatelli Les P'tites Poules © Blue Spirit Animation

Chinese simplified translation rights arranged with Chengdu ZhongRen Culture Communication Co.,Ltd,
本书中文版权通过成都中仁天地文化传播有限公司帮助获得

据［法］克利斯提昂·约里波瓦同名绘本动画片改编

图书在版编目（CIP）数据

我遇到了埃及法老 / (法) 约里波瓦文 ;
(法) 艾利施绘 ; 郑迪蔚编译.
-- 南昌 : 二十一世纪出版社, 2013.4
（不一样的卡梅拉动漫绘本）
ISBN 978-7-5391-7652-9

Ⅰ.①我… Ⅱ.①约… ②艾… ③郑……
Ⅲ.①动画—连环画—作品—法国—现代
Ⅳ.①J238.7

中国版本图书馆CIP数据核字(2013)第048740号

版权合同登记号 14-2012-443
赣版权登字—04—2013—152

我遇到了埃及法老 郑迪蔚 / 编译

策 划	张秋林	郑迪蔚	
责任编辑	黄 震	陈静瑶	
制 作	敖 翔	黄 瑾	
出版发行	二十一世纪出版社		
	www.21cccc.com	cc21@163.net	
出 版 人	张秋林		
印 刷	广州一丰印刷有限公司		
版 次	2013年4月第1版 2013年4月第1次印刷		
开 本	800mm×1250mm 1/32		
印 张	1.5		
印 数	1-60200册		
书 号	ISBN 978-7-5391-7652-9		
定 价	10.00元		

本社地址：江西省南昌市子安路75号 330009（如发现印装质量问题，请寄本社图书发行公司调换 0791-86512056）